David Rosenmann-Taub

Trébol de Nueve

Lom
PALABRA DE LA LENGUA
YÁMANA QUE SIGNIFICA
Sol

\

Rosenmann-Taub, David 1927-
Trébol de nueve [texto impreso] / David Rosenmann-Taub.
— 1ª ed. – Santiago: LOM ediciones; 2015.
160 p.: 16x21 cm. (Colección Entremares).
 ISBN: 978-956-00-0645-5
1. Poesías Chilenas I. Título. II. Serie.
 Dewey: Ch861 .– cdd 21
 Cutter: R875m
 FUENTE: Agencia Catalográfica Chilena

© LOM EDICIONES
© CORDA FOUNDATION
Primera edición, 2015
Impreso en 1.000 ejemplares

ISBN: 978-956-00-0645-5

Motivo de portada: Ilustración de David Rosenmann-Taub.

DISEÑO, EDICIÓN Y COMPOSICIÓN
LOM ediciones. Concha y Toro 23, Santiago
TELÉFONO: (56-2) 2688 52 73
lom@lom.cl | www.lom.cl

Tipografía: *Karmina*

REGISTRO Nº: 101.016

IMPRESO EN LOS TALLERES DE LOM
Miguel de Atero 2888, Quinta Normal

Impreso en Santiago de Chile

David Rosenmann-Taub

Trébol de Nueve

LOM
EDICIONES

SABIDURÍA

Expresar la evidencia
con palabras,
con números,
con silencio y sonido,
con colores:

trasmitir,
proteger
con cabriolas, con gestos,
para así regalarme: regalar
defensas nutritivas

al ser del ser, tan poderoso y tenue.

Expresar la evidencia
con palabras,
con números,
con silencio y sonido,
con colores:
trasmitir,
proteger
con cabriolas, con gestos,
para a sí regalarme: regalar
defensas nutritivas
al ser del ser, tan poderoso y tenue.

1937.

EL ADOLESCENTE

I

CICLÓN

ENGRANAJES

«Incertidumbre firme, hacia lo alto.
Plazas muertas: las anclas – moho – atisban.
Qué manojo de lámparas
salobres.»

LEZNA

«¡Atrás! La llama
se apaga. ¿Dócil
origen?
Ciego guerrero hambriento.»

AMIGO

«Ríonave afanoso:
tuyos mis grumos,
mi apetencia,
mi cuarto.»

ENEMIGO

«La sospecha
cobija nidales:
desvístela.»

MATERNO

«¿Huyes?
Una cuna.
¡Siempre
bordes azules!»

PROGENITOR

«Éste, el camino de los peregrinos.
Ésta, la fragua del pasado.»

TIERRA

«Mis velos, no la tribu.
De tu pulso resisto el aguijón
y las columnas.»

II

VÓRTICE

GRAMATICAL

Un temblor
de hojarascas: un ímpetu.

Odio, acoge mi llanto.

ACRE

Oscuridad, me succionas.
Calla, páramo.
Baldaquín, me necesitas.
Tenazas,
hasta mañana.

SÓRDIDO

La distancia se ciñe al cuello decrépitas pieles.
Mi charco esparce
dioses recién engendrados.
Entusiastas, las torres
se encadenan.

Mi pasión: el aire.
Los cosmos
se persiguen.
Escarlata, la voz de la paloma.

SOLO

¿El galope, sin fin? ¡Me pertenezco!

LAZARILLOS

Fiebres me administran.
Llora el cielo en mis hombros.

OH HERMANA

Tu cabellera
me apresura. Danzo.

INÚTIL

Extensión que agoniza:
mi semblante: mi bóveda.

PENUMBRA

Hunde, araña,
las rejas
de tus sagas:

defenderán el cauce de mis venas.

RÁFAGA

Curva de paz, por pedigüeña,
tuerces límites
en el costal sepulcro.

Mercaderes de risa, protegedme.

ABOLENGO

Sequías
del rumbo de mis huesos.
Nazco océanos.

TÁCTICA

Zozobra inmóvil.
¿Veo? ¿Pregunto?
... Grietas.

RITUAL

Canción sin canción.
Deseo sin deseo.

LA BATALLA

Uñas para un fruto...
Me he vencido.

Élitros, jagüeyes, músculos
atraviesan
el hogar de la noche.

AVANZANDO

¿Surjo?
Mis párpados, con brío,
me reúnen.
Mis pasos,
vehementes: de acero.

1941 - 1946.

LA ENREDADERA DEL JÚBILO

A ti.

Johannes Brahms.
Op.117: 2.

I

MANANTIAL

¿Quién
al alba de la tarde?
¿Yo: tu imagen?
Dolías en el llano de las cosas que rompen.

El agua, entre las aguas,
horadaba,
subía. ¿Tú? Crecíamos
hacia el prodigio
del
encuentro.

Cortamos los racimos:
imagen contra imagen:
rebeliones.

II

DÍA

Hablé. Taladraríamos.
¿Iba la sombra a retener tu entrega?
Por la ventana, el mar que nos separa.
Seremos uno interminablemente.

Coraje.
¿Los poderes?
Rutinarios,
ajenos.

Hablé. Taladraríamos.
¿Iba la sombra a retener tu entrega?
Por la red, el erial que nos separa.
Desnudos, absolutos, luminosos.

Juglar morro, cercano, nuestro, mío,
nuestro, tuyo: si tuyo, mío, mío:
feraces arrecifes de trascursos:
que yo, por ti, soy yo, todas tus veces.

Hablé. Taladraríamos.
¿Iba la sombra a retener tu entrega?
Por lo ayer, el fanal que nos separa.
En torbellino, frágiles, amándonos.

Ahora estoy contigo. Realidad,
desafías el mar.
Ante el ahínco, el mar, invulnerable,
zigzaguea hacia el sol. Estás conmigo.

Ventana. Red. Lo ayer. ¿Qué nos separa?
Seremos uno. Interminablemente
desnudos, absolutos, luminosos,
en torbellino, frágiles, amándonos.

III

ENSENADA

Veintiocho de octubre.

Despedazado monte
de raudo alrededor,
mi carne gime:
nítida bruma: alero multiversal. Te amo,
pues te amo.

Labio con labio, en siembra, en ti, en presencia
vertiginosa, en alborear radiante
de ti, de ti, afición,
hasta la ausencia
que nos ofrendará a la Amante,
lengua con lengua sobre el horizonte
del horizonte, qué la tierra, dime.

IV

PLENITUD

Cinco de noviembre.

Oh tu sueño: en tu sueño,
enloquecer. Te acecho
tuétano
con tuétano:
quieto
milagro
para el sosiego
del pecho inválido.

Frustras,
acérrima debilidad,
desde altamar
– oh tañido de espejos:
cristal
petrel –,
la ola del supremo
retroceder.

Poema,
te sublevas
contra la tolvanera
de contingencias:
oh tu sueño: en tu sueño
se autodividen
tus reverberos:
allí corriges.

Corrijo allí el edén.
¡Corregiremos!
No puede perecer
lo que es eterno:
lo que se desvanece:
lo duradero
del polvo que sumerge:
la cruz del tiempo.

Centinela que arrullo,
sienes que arrullo,
contumacia que arrullo;
tulipán,
dulzura,
prisma,
calor
en que penetro.

Así me tornas
serpentina
de vetas
estorbacóleras.
Más que peñón,
tu savia; más que tu savia,
tu cara desatada;
más que tu cara

desatada, tu aliento;
más que tu aliento,
tu boca y el tumulto
de tu boca en mi efluvio.
Tu boca en la extasiada
consumación del cuerpo.
Mis palmas en tu savia.
Mis nervios en tu pelo.

Oh tu sueño: en tu sueño
soy tu reflejo.
Boca para beber
lo duradero
del polvo que sumerge:
la cruz del tiempo.
No puede perecer
lo que es eterno.

V

RECINTO

Seis de abril.

Hemos venido a dar
a una quebrada orilla. Hemos lamido
sus tibios imprevistos
arenales.

Amapoleaje:
nicho
de siglos
sin fronteras:

dichosa destrucción que nos construye.
Hemos venido a dar
a una gaviota

– prenda –
que nos funde.
Las rocas,

a mansalva.
Cuántas
cimas gloriosas.

VI

RAÍZ

Lecho. Sorbo. Deleite.
Rincón. Temprano atraso.
Favila
que se aferra, triunfadora.

¿Náufragos? Olvidé el olvido.
En mí
no te enneblines. Silvestre manantial
de erecta luz, acúdeme
tus lágrimas:
bosque iracundo:
rastros.

Alcemos lo verídico.
Te alejas.
Arterias: amenazas de mis briznas.
¿Esfuerzo? Tuyo en ti.
Si no,
lo sin postrimería. Que circule
ardor definitivo.
Los garfios, de los garfios.
Bloque, abárcame.
Hogueras
sollozando.

Es desertar.
Renáceme,
mintiéndome:
la piedra, en estertor, sobre la escarcha:
el silencio en la nada turbulenta.

1952 - 1957.

MUTIS

— Lo increíble, creíble.
¡Testimonios! Peor
– tirria –:
te consta:

«Ladra,
cada tres horas,
el mastín del enigma
de don Sentenciador.»

Tal don Sentenciador no ha existido, ni existe,
ni el mastín de su enigma:
ni la huella
de un dogo en estas zonas.

– ¿Y tu flema,
mi arrogancia
de escoba,
tus símbolos, mi yo?

1960.

ÉBANO

Jesucristo:
«¿De raza blanca, hijo mío?
Sólo negror
desteñido.»

«¿Y nosotros?», cantó
Buda.
«Del azabache,
sin duda.»

«Negrísimas»,
el rocío,
«mis blancuras
favoritas.»

«En la noche cabe el día»,
acunándonos, María.
«Así *es*»,
la Poesía.

«¿Y la noche
dónde
cabe?»,
canté.

«*Por* ninguna
parte»,
cantó
Nadie.

1962.

AQUÍ

Ubicuo en mi persona,
me supongo,
a pesar del orzar
y las carótidas.

«¿Idénticos?
¡Curioso!»,
molesto,
Jeová.

1971.

ORTOCRÁNEA*

*Capítulos orales; epílogos: bongó. Sus partituras: rítmicas (dinámica y matices: el texto).
Para escuchar al poeta: davidrosenmann-taub.com/ortocranea

I

Ramaje de alboroto
desde el cliclac con que nos levantábamos
hasta el cliclac con que, sin recibir
órdenes, decidíamos
escapar a la cama.
Balanza y yo: un acuerdo:
la misma historia se nos antojaba,
también el mismo postre.
Mi brazo izquierdo y el derecho suyo
se unían
en humildes altivos siete dedos
adorados.

*
* *

¡Felices!
¿Semejantes
al mundo?
Palitroques de apremios.

Ra ma je de al bo ro to

des de el cli clac con que nos le van tá ba mos

has ta el cli clac con que, sin re ci bir

ór de nes, de ci dí a mos

es ca par a la ca ma.

Ba lan za y yo: u n a cuer do:

la mis ma his to ria se nos an to ja ba,

tam bién el mis mo pos tre.

Mi bra zo iz quier do y el de re cho su yo

se u ní an

e n hu mil des al ti vos sie te de dos

a do ra dos.

¡Fe li ces!

¿Se me jan tes

al mun do?

Pa li tro ques de a pre mios.

II

Paseándonos…
Entre los árboles, un niño esbelto:
brotaba de sus ojos un misterioso líquido.
«¿Aquel niño, mamá?»
«No sé.»
Siempre,
su contestación,
ésa.
    ¿Todos
ignoran lo que saben?

Pa se án do nos...

En tre los ár bo les, un ni ño es bel to:

bro ta ba de sus o jos un mis te rio so lí qui do.

«¿A quel ni ño, ma má?»

«No sé.»

Siem pre,

su con tes ta ción,

é   sa.   ¿To   dos

ig   no   ran   lo   que   sa   ben?

III

Una noche, papá nos anunció
que él y mamá procurarían
mayor felicidad:
merced a no anheladas peripecias,
habitarían en nosotros más.

U na   no che, pa   pá nos a nun   ció

que él y ma   má pro cu   ra   rí   an

ma   yor fe   li   ci   dad:

mer ced   a no a nhe   la   das pe   ri   pe cias,

ha   bi ta rí   an   en   no   so   tros   más.

IV

Durante el desayuno:
«Ningún ruido»,
para que nos acostumbráramos al ruido.
Y un monitorio margen:
que de la casa entráramosaliéramos
por la puerta roja;
la puerta azul: de las visitas.

Éstas se comportaban
diligentes, frenéticas,
comiéndose el espacio. ¿Despedirlas?
Quizá las castigábamos
con yerma voluntad de reticencia.

Du ran te el de sa yu no:

«Nin gún rui do»,

pa ra que nos a cos tum brá ra mos al rui do.

Y un mo ni to rio mar gen:

que de la ca sa en trá ra mo sa lié ra mos

por la puer ta ro ja;

la puer ta a zul: de las vi si tas.

És tas se com por ta ban

di li gen tes, fre né ti cas,

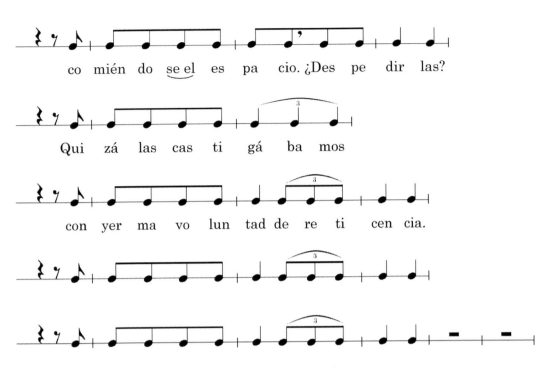

co mién do se el es pa cio. ¿Des pe dir las?

Qui zá las cas ti gá ba mos

con yer ma vo lun tad de re ti cen cia.

V

Desde el umbral de la puerta roja,
la vecina fronda:
dos muchachos de trece – nuestra edad –.
«¿Los limpio?», entonó Balanza.
«Lailá», transigió uno dellos.
«¿Te limpio?», me entonó el otro.
«Lailalailá», transigí,
reconociendo,
provecto, un halo bienhechor.

Corteses tigres:
garras optimistas:
orejas de la astucia.

Des de el um bral de la puer ta ro ja,

la ve ci na fron da:

dos mu cha chos de tre ce — nues tra e dad —.

«¿Los lim pio?», en to nó Ba lan za.

«Lai lá», tran si gió u no de llos.

«¿Te lim pio?», me en to nó é lo tro.

«Lai la lai lá», tran si gí,

re co no cien do,

pro vec to, un ha lo bie nhe chor.

Cor te ses ti gres:

ga rras op ti mis tas:

o re jas de la as tu cia.

VI

Ocultando tinieblas,
papá adoptó clarores.
Él y mamá se iban:
«No hay solución.
Fastidien lo menos posible.
Listos para la vida real.»

El amanecer
nos condujo al aposento
de nuestros padres:
«Yacen.»

¿Contrariar?: sonda torpe.
Nadie tiene – nunca – la razón.
Aunque yo
juraba que dormían, y Balanza
gritaba que se hacían los dormidos,
fueron guardados en soberbias cajas
de color ácido,
cuyos tapetes debimos besar.

De regreso, Balanza: «Te quiero.»
Con la bondad de su alma
– porque posee
un alma (lo aseguro) –:
«Sigue.»

O cul tan do ti nie blas,

pa pá a dop tó cla ro res.

Él y ma má se i ban:

«No hay so lu ción.

Fas ti dien lo me nos po si ble.

Lis tos pa ra la vi da re al.»

E l a ma ne cer

nos con du jo al a po sen to

de nues tros pa dres:

«Ya cen.»

¿Con tra riar?: son da tor pe.

Na die tie ne – nun ca – la ra zón.

Aun que yo

ju ra ba que dor mí an, y Ba lan za

gri ta ba que se ha cí an los dor mi dos,

fue ron guar da dos en so ber bias ca jas

de co lor á ci do,

cu yos ta pe tes de bi mos be sar.

De re gre so, Ba lan za: «Te quie ro.»

Con la bon dad de su al ma

– por que po se e

un al ma (lo a se gu ro) –:

«Si gue.»

VII

Meses – cuántos – después,
Balanza afirmó: «Llega.»
¡Satisfechos!

Trama vagabunda
prontamente invisible.

Me ses – cuán tos – des pués,

Ba lan za a fir mó: «Lle ga.»

¡Sa tis fe chos!

Tra ma va ga bun da

pron ta men te in vi si ble.

VIII

Muro
de intensidades:
puño de rayos.

IX

Escuchamos, escondidos:
«No hay solución.»
Reímos.

Es cu cha mos, es con di dos:

«No hay so lu ción.»

Re í mos.

X

¡Edificios!
Balanza colocaba en las estrofas
pájaros y sapos,
escogiendo sílabas trasparentes;
yo, escogiendo lacres,
colocaba humo.

Escribíamos en nuestros cuerpos
el rumor
de una palabra infinita.
Preferíamos la *e*.

Listos para la vida real.

¡E di fi cios!

Ba lan za co lo ca ba en las es tro fas

pá ja ros y sa pos,

es co gien do sí la bas tras pa ren tes;

yo, es co gien do la cres,

co lo ca ba hu mo.

Es cri bí a mos en nues tros cuer pos

el ru mor

de u na pa la bra in fi ni ta.

Pre fe rí a mos la *e.*

Lis tos pa ra la vi da re al.

XI

Despertamos sin despertar.
«Yacen.»
Alguien propuso rebanar aquellos dedos.
«¡No!: juntos, apretados.»

Des per ta mos sin des per tar.

«Ya cen.»

Al guien pro pu so re ba nar a que llos de dos.

«¡No!: jun tos, a pre ta dos.»

XII

¿El placer
del placer,
papá, mamá,
vendrá?

¿El pla cer

del pla cer,

pa pá, ma má,

ven drá?

1997-2011.

CON ÉL

(Varias losas
– cavernas –
en mi ausente
pared.)

   – *Pronuncias* realidad:
una más
de las inagotables realidades.
– ¿A cuál Tú perteneces?

   – A todas;
algunas ni siquiera
muy reales.

   – ¿Esta conversación
es irreal?
– Esta conversación no *es*.

   – ¿Nosotros
somos?
– No.

2013.

CONCIENCIA

¿Muévedo?

2014.

ÍNDICE

ORTOCRÁNEA

ESTE LIBRO HA SIDO POSIBLE POR EL TRABAJO DE

COMITÉ EDITORIAL Silvia Aguilera, Mario Garcés, Luis Alberto Mansilla, Tomás Moulian, Naín Nómez, Jorge Guzmán, Julio Pinto, Paulo Slachevsky, Hernán Soto, José Leandro Urbina, Verónica Zondek, Ximena Valdés, Santiago Santa Cruz **SECRETARIA EDITORIAL** Marcela Vergara **EDICIÓN** Braulio Olavarría **PRODUCCIÓN EDITORIAL** Guillermo Bustamante **PRENSA** Isabel Machado **PROYECTOS** Ignacio Aguilera **ÁREA EDUCACIÓN** Mauricio Ahumada **DISEÑO Y DIAGRAMACIÓN EDITORIAL** Leonardo Flores, Max Salinas, Gabriela Ávalos **CORRECCIÓN DE PRUEBAS** Raúl Cáceres **COMUNIDAD DE LECTORES** Francisco Miranda **VENTAS** Luis Opazo, Elba Blamey, Olga Herrera, Daniela Núñez **BODEGA** Francisco Cerda, Pedro Morales, Hugo Jiménez, Maikot Calderón, Lionel Diaz **LIBRERÍAS** Nora Carreño, Ernesto Córdova, Luis Cifuentes **COMERCIAL GRÁFICA LOM** Juan Aguilera, Danilo Ramírez, Eduardo Yáñez **SERVICIO AL CLIENTE** José Lizana, Ingrid Rivas **DISEÑO Y DIAGRAMACIÓN COMPUTACIONAL** Luis Ugalde, Marjorie Dotte, Pablo Barraza, Francisco Orellana **SECRETARIA COMERCIAL** María Paz Hernández **PRODUCCIÓN IMPRENTA** Elizardo Aguilera, Carlos Aguilera, Gabriel Muñoz, Rómulo Saavedra **SECRETARIA IMPRENTA** Jasmín Alfaro **PREPRENSA** Daniel Alfaro **IMPRESIÓN DIGITAL** William Tobar, Carolay Saldías, Daniela Farías, Karina Mardones **IMPRESIÓN OFFSET** Rodrigo Véliz **ENCUADERNACIÓN** Ana Escudero, Andrés Rivera, Edith Zapata, Pedro Villagra, Héctor Carrasco, Juan Molina, Rodrigo Flores, Romina Salamanca, Carlos Mendoza, Fernanda Acuña **DESPACHO** Cristóbal Ferrada, Julio Guerra **MANTENCIÓN** Jaime Arel **ADMINISTRACIÓN** Mirtha Ávila, Alejandra Bustos, Andrea Veas, César Delgado, Boris Ibarra.

LOM EDICIONES